HAI IL CORAGGIO DI MANIPOLARE LE ALTRE PERSONE MUOVENDO SOLO LE MANI ?

L'UNICA GUIDA PSICOLOGICA CHE HA RESO FACILE LA LETTURA DELLE PERSONE ANCHE AD UN RAGAZZO BOCCIATO 3 VOLTE IN SECONDO SUPERIORE

JOE COOPER

INDICE

Introduzione   5

Perché mai uno dovrebbe voler leggere le persone   8

La base del linguaggio del corpo   13

Le categorie del linguaggio del corpo   19

Tu sai chi sei?   26

Gli occhi sono lo specchio delle interazioni   33

39 Il contesto fa tutta la differenza del mondo   39

La comunicazione non verbale   44

Le persone si comportano tutte allo stesso modo   53

Il potere delle mani   57

Dietro la magia del sorriso   64

Le braccia raccontano   72

I gesti quotidiani e il loro significato   82

Giochi di potere   91

Se mettiamo si vede?   99

Conclusione   102

INTRODUZIONE

Sai al giorno d'oggi qual'è l'unica abilità che il 97% delle persone non conosce che ti fa fare il grande salto nella tua vita lavorativa, sociale e in tutto il resto?

Aspetta solo un secondo e ti rivelerò tutto. Intanto ti parlo un secondo di me.

Proprio quando la mia vita sembrava perfetta tutto è crollato.

Ero un ragazzo come tutti gli altri che passava le sue giornate tra scuola e quel bel campo verde da calcio che chiamavo casa. Dopo diversi anni di questa vita pensavo che tutto sarebbe andato per il verso giusto nella mia vita.

Avrei continuato a fare il calciatore e già mi vedevo li in cima alla vetta del calcio che conta .

Ma non fù per niente cosi.

Ero praticamente arrivato. Stavo facendo finalmenti I provini per una squadra di MLS ma su un calcio d'angolo alzo lo sguardo e vedo mia madre li a guardarmi.

Svenni, come se quell'erba verde mi attrasse verso di lei con una forza di gravità tale da trascinare una macchina e cosi mi ritrovai a fissare il cielo azzuro di New York.

Un dottore e mio padre corsero subito e mi svegliai con loro super agitati e mia madre in lontananza che piangeva disperata.

Li capii che era tutto finito. I miei sogni erano stati appena distrutti. Ero un bambino ancora e sapevo perfettamente che mia madre non mi avrebbe mai più fatto mettere piede su un campo.

E cosi è stato.

Caddi in uno stato di depressione e persi 3 anni di scuola, La mia vita era finita in quell'istate per me ma ad oggi ringrazio mia madre per la scelta che ha fatto.

Senza quella sua scelta che io reputavo sbagliata non avrei mai incontrato il mio mentore.

L'uomo da cui ho imparato tutto quello che sò sul linguaggio del corpo e manipolazione. Questa disciplina mi salvò dal baratro per la sua bellezza e unicità.

Cosi mi sono ripromesso a me stesso che mi sarei rialzato e avrei portato le mie conoscenze in giro per il mondo.

Cosi sono passato dalla depressione e da tre anni persi a girare il mondo con I miei corsi e ora sono qui a scrivere un libro.

Ma torniamo a noi. Ti stavo dicendo qual'è la capacità più importante che puoi avere oggi.

Sicuramente il saper analizzare le persone che hai davanti a te.
Ma andiamo per gradi senza esaggerare troppo, altrimenti non capiamo bene il discorso.

PERCHE' MAI UNO DOVREBBE VOLER LEGGERE LE PERSONE?

Imparare ad analizzare e comprendere le persone che ci circondano è senza alcun tipo di dubbio fondamentale per due motivi principali.

Il primo è il fatto che possiamo capire subito se una persona è dalla nostra parte o meno (un nemico insomma) ma più semplicemente possiamo sapere quando qualcuno è a suo agio o meno, se ha paura o no o addirittura se è attratto da noi o non gli piacciamo.Questo è solo una parte delle cose che saprai fare se inizierai a sfruttare l'analisi delle persone a tuo favore.

E' come giocare a poker ma sapendo le carte del tuo avversario...

Facile no? Sempre se sai le regole del gioco. Altrimenti perderai sicuramente.

Il secondo motivo è la facilità che avrai per entrare in empatia con le persone che ti circondano. Sarai in grado di entrare in contatto con loro e I rapporti si faranno molto più sani e non ti sentirai più come una pecora nera dentro un branco di lupi. La similitudine con pecora nera e pecora bianca non mi è mai piaciuta come immagine.

Quello che imparerai da questo libro lo potrai usare come meglio credi. Può esserti utile in famiglia o al lavoro.

Pensa se sarai in grado di capire cosa vuole un cliente o di capire in anticipo come si sente il tuo capo che ti sta antipatico e che non puoi vedere. Avrai un vantaggio a dir poco "Sleale" verso I tui colleghi di lavoro.

Lo so che stai aspettando la promozione da tanto. Bhe è arrivato il momento di andarsela a prendere e smetterla di stare li a sperare e basta.La speranza in se per se non basta e serve a molto poco. Sono le azioni che vincono sempre.

Quindi se sei pronto per distruggere la concorreza o se sei stanco di sentirti escluso e trattato male devi capire le persone e cosa queste pensano e non mancherà molto al tuo successo.

Ora sono sicuro che nella tua testa vagano moltissime domande come:

- – Ma come si fa?
- – Cosa devo guardare?
- – Quali parole devo ascoltare e comprendere?

Aspetta un attimo. Tutto ti verrà ampiamente spiegato nel libro.

Ma prima devi capire delle cose fondamentali.

I fondametali sono fondamentali.

Bella questa è. Scrivila e attaccala sul tuo frigorifero.

Ogni persona al giorno d'oggi vuole tutto subito e pensa che una cosa gli può far cambiare la vita. Ma nella maggior parte delle volte queste cose sono cavolate o ancora peggio delle truffe. Quindi andiamo piano.

Quando analizzi qualcuno devi ricordarti sempre di eliminare per qualche instante tutti I tuoi pregiudizzi e credenze su quella persona. Se devi analizzare per esempio un tuo conoscente che tu odi non puoi star li a pensare lui chi è o cosa ti abbia fatto. Perchè senno non solo non capirai nulla ma   sarai più confuso di prima.

Prendi un respiro e inizia a guardalo solo per quello che fa In quel momento o per quello che dice. Altrimenti sbatti contro un muro. Come quando nei cartoni animati willy prendeva quel treno rosso treno dritto sul naso.

Ecco, tu non vuoi fare quella fine giusto?

Allora ti coviene stare a sentire quello che questo libro ti comunicherà. Cosi potrai vedere l'anima delle persone dai loro occhi e leggere la mente dalle parole. Questo è quello che fatto le persone che hanno capito come leggere la mente e I comportamenti degli altri. E tu sarai uno di questi.

Imparerai tutte le strateggie collaudate che poche persone

conoscono per capire Tramite il linguaggio del corpo e le parole tutti I caratteri predominanti delle persone e come gestirli per fargli fare quello che tu vuoi e manipolarli senza che loro si accorgano di nulla.

Sarai tu a fargli vedere la strada da seguire. Un pò come Virgilio fece con Dante.

Ma non perdiamoci in chiacchiere, da adesso in poi si entra nella fase concreta del libro. Buon Viaggio.

LA BASE DEL LINGUAGGIO DEL CORPO

Da sempre le persone esprimono I loro sentimenti, le sensazioni e le loro idea tramite il loro corpo e la loro voce.

Ma tutti fanno un grave errore. Si concentrano solo sui movimenti del corpo degli altri. E' molto difficile che una persona sappia interpretare il corpo. Esiste un grande problema che attanaglia questo aspetto dell'essere umano, ovvero che le nostre parole spesso e volentieri sono poco veritiere e non realistiche.

Vi sarà capitato milioni di volte di trovarvi in questa situazione. Per esempio un vostro parente o un amico che vi dice una cosa apparentemente vera ma poi con il passare del tempo si è rivelata una cavolata.

E' una situazione normale ed succede a tutti almeno una volta nella vita. A parole spesso possiamo sembrare felici, tristi, ansiosi e chi ne ha più ne metta ma il linguaggio del corpo non può essere modificato e dice sempre la verita. In breve saper leggere il linguaggio del corpo ti fa capire cosa una persona pensa o vuole realmente.

(Con le ragazze non funziona, quando dicono che non hanno niente non si capisce nemmeno dal corpo cosa abbiano)

Ovviamente è una battutta per tagliare un attimo le informazioni.

Ma quanto si usa il linguaggio del corpo nella comunicazione?

Il 63% della nostra comunicazione avviene tramite il corpo. Puoi benissimo non crederci, ma ti sbaglieresti alla grande. Quando una persona ad esempio sta con le braccia conserte durante una discussione NON TI STA SENTENDO, se tu gielo chiedi lui ti dice che non è cosi.

Ma quello è un classico segno che noi umani facciamo per proteggerci da cose che non ci stanno piacendo e pensiamo siano non vere.

Se una persona si trova in quella posizione le tue possibilità di fargli cambiare idea sono praticamente 0. Questo gesto come moltissimi altri non lasia spazio alle immaginazioni.

Posso farti un altro esempi. Se una persona che stai provando a capire ha la schieana ricurva e la testa come se fosse attaccata per sbaglio al corpo, beh quella persona sarà sicuramente triste o molto stanca.

Tutto quello che si può fare con il linguaggio del corpo io lo trovo veramnte affascinante. Puoi essere in grado di creare nuovi unioni con le persone e facilitare il tuo dialogo con loro solo attraverso dei gesti che prima davi per scontato. Mentre nella realtà non lo sono affatto.

Ma adesso andiamo un pò più nei dettagli di cosa devi fare per capire il linguaggio del corpo della persone che ti trovi davanti.

La prima cosa da fare è capire se questa persona è a suo agio con te o meno nella situazione in cui si trova in quel momento. Una volta fato questo passaggio e siamo sicuri che appunto questa persona non abbia dei problemi in quel momento con noi bisogna percepire in contesto nel quale siamoe iniziare a guardare la valanga di segnali che ci sommerge.

Questo naturalmente non è facile, ma con il giusto allenamento e se continuerai nella lettura capirai come farlo.

Il linguaggio del corpo è caratterizzato da diversi denominatori che fanno si che tu capisca se ti sta comunicando qualcosa di positivo o di negativo.

Adesso avrai una carrellata di esempi di linguaggio del corpo sia positivi che negativi per farti un'idea più precisa su quello che ti sto dicendo.

Positivi:

- La vicinanza con la persona
- Sentirsi rilassati mentre si parla

- Guardarsi per un tempo prolungato
- Sorrisi veri

Negativi:

- Piedi che guardano la porta
- Guardare da un'altra parte
- La sensazione di disaggio
- Braccia incrociate
- Grattarsi sempre il naso o gli occhi

Come già detto in precedenza il fatto di stare con le braccia conserte quando uno parla può signifiacare che la persona non ha alcunavoglia di stare ad ascoltare quello che tu hai da dire, Ma non è sempre cosi.

Potrebbe benissimo voler dire che questa persona con cui stai parlando si sente semplicemente scomodo o magari deluso.

Qiundi quello che ti voglio dire e che devi stare attento ad interpretare il linguaggio, Perchè questo cambia sempre con la situazione nella quale ti trovi.

LE CATEGORIE DEL LINGUAGGIO DEL CORPO

Ci sono diversi modi per percepire e capire quali persone si hanno davanti, e uno di questi è capire in che categoria questa persona si trova. Esatto le persone si dividono in categorie e si classificano per il loro linguaggio del corpo.

In totale noi vedremo 15 categorie diverse di persone ma ovviamente non sono solo queste.

Ma non perdiamoci in chiacchiere e iniziamo.

- Aggressivo

Questa è la prima categoria che vediamo. Fanno parte di essa tutte quelle persone che hanno un linguaggio molto minaccioso, ovvero che tentano di mettere paura all'altro tramite movimenti bruschi. Come quando durante una lite una persona alza di molto la voce per mettere paura all'altro.

- Attenzione

Questo anche si vede molto bene, ed è il segnale che una persona da mentre si sta impegnando molto per raggiungere un qualsiasi obiettivo. Dallo studiare per un compito alla creazione del meeting di lavoro. Non fà alcuna differenza. I segnali sono sempre gli stessi.

- annoiato

Questo è il completo opposto di prima. Una persona è annoiata quando il suo contatto visivo è scarso o completamente nullo. Per rendervi un esempio chiaro è come quando eravate a scuola e in classe la professoressa spiegava qualcosa che a voi non interessava per niente e cominciavate a guardare e a concentrarvi su cose studissime come le scritte sul muro ma che in quel momento erano le cose migliori che vedevate.

- Ingannevole

Queste persone sono particolari. Dicono spesso delle buggie per far si che la passino franca. Ma se le guardate bene sono sempre preoccupate e si guardano attorno. Sono molto semplici da capire per chi sa il linguaggio del corpo.

- Chiuso

Sono tutte quelle persone riservate e chiuse in loro stesse. Sono difficili da capire, proprio perchè spesso non hanno molto linguaggio del corpo ma le riconosci dal fatto che usano le braccia conserte non perchè non sono interessati o stanchi ma per proteggersi.

- Dominante

Sono tutte quelle persone che vogliono comandare in qualsiasi ambito nela loro vita. Di soli ti riconoscono facilmente dai toni arroganti e stanno sempre con il petto infuori.

-Difensiva

Queste persone sulla difensiva si riconoscono perchè sono sempre titubanti come se dovessero nascondere qualcosa a qualcuno ma in realtà hanno solamente paura di esporsi e restano nel loro.

- Emotiva
Una persona emotiva ha stati d'animo molto diversi durante le sue giornate e viene molto spesso trasportata da esse ad agire e a compiere delle azioni.

- Valutatore

Sono tutte quelle persone che per fare una scelta valutano tutte le soluzioni possibili. Non fanno nulla d'istinto ma ragionano sempre ma non tornano mai indietro sui loro passi.

- Aperto

E' una persona sempre positiva con tutti ed è pronto ad accettare qualsiasi soluzione per un problema. Non si fa broblemi ad accettare quello che vogliono gli altri se pensa che sia giusto.

-Contenuto

Questo di solito è accompagnato da un comportamento calmo e molto spesso felice. Non ha grade forzanper trasgredire le regole e cerca sempre di rispettare gli altri.

- Appassionato

E' spesso un linguaggio romantico che esprime attrazione verso un'altra persona. Questo linguaggio non è difficile da capire dato che questa persona non nasconde il suo interesse.

- Sottomesso

Questa persone molto spesso si fa mettere I piedi in testa dagli altri. Si capisce molto bne dal linguaggio del corpo se I si trova davanti ad una persona del genere.

Tutti I tipi di linguaggio del corpo che ti sono stati elencati sono capibili da esemplari movimenti che il nostro corpo comunica tramite delle pose.

Torniamo un secondo alle braccia conserte. Se una persona ad esempio è in riunione.

Anzi parliamo proprio di te.

Naturalmente non ti conosco e non so tu che lavoro faccia, ma sicuramente sarai stato ad una riunione o ad un colloquio per un posto di lavoro una volta in vita tua (Spero per te che sia andato tutto per il verso migliore)

Beh in quella situazione può capitare di stare con le braccia conserte ma di certo non vuol dire che non stai ascoltando, anzi spesso è proprio il contrario ed è il simbolo delle persone autorevoli che sono serie.

Quindi state attenti alle situazioni.

Questi consigli ti faciliteranno di molto il tuo lavoro verso la comprensione delle persone. Qualsiasi questa sia (Amici, Ragazza/o, Genitori ecc.) e appunto capire la situazione che ti circonda farà si che tu non perda tempo con messaggi che in realtà sono sbagliati ma ti concentrerai solo su quelli esatti.

Questo ti farà risparmiare ore e ore di allenamento che potrai utilizzare per altro.

Come leggere altri miei libri ad esempio. Scherzo.

(Non Troppo)

Comunque tornando a noi, Ricordati di fare questo esercizio almeno 2/3 volte al giorno. Prima di leggere una persona analizza la zona e la situazione in ciu ti trovi. Per la prima settimana evita di provare a leggere le persone ma comincia a leggere le situazioni. Cosi dopo verrà tutto più semplice.

TU SAI CHI SEI ?

Bella domanda è?

La verita è che ad ora tu non sai chi sei. Non intendo il tuo nome o cognome dove vivi e cose cosi ovviamente.

Ma chi sei veramente. Devi sapere che le persone per il 98% non sanno perchè fanno quello che fanno. Aspetta che mi spiego meglio, Hai persente quando una persona piange difronte ad un quadro ed un altro magari non prova nessuna emozione?

Questo dipende da tutte le nostre esperienze che abbiamo dovuto affrontare durante la vita. Per capire cosa hai dentro bisogna fare un lavoro sulla nostra mente e sui nostra spiritualita.

Non te lo vorrai sentir dire, ma te lo dico ugualmente

Se vuoi analizzare le persone devi saper analizzare prima te

stesso e capire cosa tu hai dentro e perche fai delle azioni.
Sarà un lavoro molto duro e faticoso, a tratti molto scomodo.
Mi rendo conto che analizzare la propria vita è molto tosto,
Soprattutto rivivere magari esperienze passate che non ci
piacciono affatto.

Ma noi siamo soltanto l'insieme delle nostre esperienze
passate.

Ora non ti sto dicendo di essere consapevole di quello che
fai tutto il giorno per tutto l'anno, Sarebbe a dir poco
irrealistico. Ma già se riesci a fare questo lavoro per 30
minuti al giorno siamo già un grande passo avanti.

Puoi farlo quando preferisci, Io ti consiglio di farlo la sera
prima di metterti a dormire. Ti sdrai sul tuo letto e inizi a
pensare a tutto quello che hai fatto durante la giornata e
comincia a darti delle spiegazioni sul perchè hai fatto quel
gesto o perchè hai detto quella parola.

Questo farà si che in poco tempo già saprai controllare molto
meglio le tue azioni e il tuo linguaggio del corpo. Non ti devi

preoccupare se I primi giorni lo trovi difficile, è del tutto normale.

Come ogni cosa nella vita ci vuole impegno.

D'atronde quando hai imparato a guidare ti trovavi nella stessa situazione. La prima volta hai fatto moltissima fatica e sarai tornato a casa con una stancheza tale che neanche dopo una maratona. Ma ad ora tu guidi senza nemmeno pensare e la maggior parte del tempo fai altro alla guida.

Per l'autolettura del corpo è la stessa identica cosa, Basta volerlo fare davvero.

Il primo giorno appunto ti sentirai come se ti fosse passato un treno pieno di persone addosso ma da li in poi la strada sarà tutta in discesa.

Basta che tu lo vuoi e puoi fare quello che ti pare.

Devi sapere che il tuo corpo non sarà dalla tua parte. Perchè la mente non vuole sforzarsi, è molto più facile guarde la tv la sera piuttosto che leggere la propria giornata. Questo succede principalmente per due motivi, che sono:

- La mancanza di obiettivi
- Non sapere come funziona la mente

Nel primo caso rientrano il 99% delle persone del pianeta. La gente semplicemente spera che vada tutto bene. Non hanno obiettivi sia a breve che a lungo termine e quindi vivono la vita un pò cosi, alla giornata diciamo. Ma questo non li porterà da nessuna parte e fallirano miseramente. Ricodatevi sempre la legge di murphy, Ovvero se qualcosa può andare male lo farà. E voi dovete impegnarvi per fa si che le cose vadano come volete voi.

Quindi spegnete quella tv e inseguite l'obiettivo.

Nel secondo caso abbiamo anche qui la maggio parte delle persone. La nostra mente lavora in immaggini non in lettere.

Ti starai chiedendo cosa centra questo con il linguaggio del corpo.

TUTTO.

Se io ti dico immaginati mentre apri il tuo frigo. Da che
parte sia apre? Da sinista a destra o da destra a sinistra? Di
che colore è dentro?

Tu adesso ti stai vedendo davanti al tuo frigo che fai dei
movimenti.

Non è possibile rispondere a queste domande a memoria.
Quindi tu devi ingannare la tua mente. Quando fai questo
esercizio chiudi gli occhi e immaginati mentre sarai super
capace di leggere le persone e vedrai che il tuo corpo in
molto poco tempo ti farà fare tutte quelle azioni che ti
porterano al risultato che tu hai visualizzato.
Questo non va fatto una volta e basta ma ogni momento
libero della tua giornata dovrà essere dedicato a questo.

Lo so sarà faticoso ma se vuoi riuscire devi faticare.

Se stai cercando il trucchetto o la cavolatina, mi dispiace per te ma hai sbagliato libro. Prendine un altro, Tanto li fuori è pieno di gente che vuole fregarti vendendoti la pillola magica. Non farai fatica a trovarne.

Adesso sarò cosi bravo da darti una lista esatta di idee per capire te stesso. Certo non sarà facile capire cosa mettere dove, ma sta proprio li il bello. Sennò sarebbe troppo facile no?

- Desideri
- Interessi
- Passioni
- Identità
- Pensieri
- Emozioni vissute
- idee
- Relazioni
- skill

Perfetto, Inizia ad analizzare tutto questo su di te.
Ovviamente non devi farlo adesso e basta ma bensi una volta al giorno (minimo) per capire davvero dove stai andando e

comprendere bene tutto il linguaggio del corpo.

Sentirsi a proprio agio nel farlo sarà impossibile. Per gli stessi motivi che ti ho spiegato sopra. Ma questa è l'unica strada percorribile.

Durante la tua ricerca in te stesso scoprirai veramente chi sei. Ma lo scoprirai a poco a poco. Come quando da bambino scavavi sulla sabbia per far si di trovare l'acqua.

Non arrivava subito, Prima scavavi sula sabia asciutta poi piano piano trovavi la sabbia umida ed infine la tanto nascosta acqua. La stessa cosa succederà a te mentre sei all'interno di questo viaggio.

Quando questo lavoro sarà finito finalmente con le idee chiare ti potrai buttare sulle relazioni e sull'lavoro. Essere consapevoli di se stessi ti aiuterà a prendere decisioni di carriera ben pianificate. E non più per come ti sentivi al momento, ma avra la mente sgobra dai pensieri e questo farà si di farti fare sempre la scelta migliore in più campi della tua vita.

GLI OCCHI SONO LO SPECCHIO
DELLE INTENZIONI

Esiste un detto che dice che gli occhi sono lo specchio
dell'anima. Sicuramente lo avrai sentiro da qualche parte,
magari da amici o ad una classica cena di natale in famiglia
mentre giocavi a carte sul tavolo di tua nonna.

Dove lo hai sentito non fà alcuna differenza, L'importante è
che tu capisca che è davvero cosi. Quando infatti
incontriamo una persona che non conosciamo, Magari un
nostro amico ci porta ad una festa dove non conosciamo
nessuno tu ti comincerai a guardare intorno e come prima
cosa guarderai gli occhi delle persone.

Perchè da quelli capirai che tipo di persona ti trovi davanti
ma soprattutto le sensasioni che sta provando in quel
momento. Se e triste, felice, ansioso e cosi via.

Come facciamo a saperlo? Beh devi sapere che le nostre
pupille sono un po come quelle dei gatti. Se hai mai avuto

uno di quegli animaletti pelosi dentro casa ti sarai accorto che quando cammina tranquillo le sue pupille sono normali ma quando si concentra per attaccare quella pericolosissima mano che gli si avvicina la parte nera dell'occhio si dilata cosi tanto che quasi il resto scompare.

Questo accade perche si sta concentrando. E con l'essere umano è la stessa cosa. Il nostro cervello è capace a captare le micro differenze de avvengono nelle nostre pupille.

" Posso vederlo nei tuoi occhi"

In quante canzoni lo hai sentito? Parecchie sicuramente. Questo perchè l'arte di capire le persona dagli occhi si conosce da tempo e ci viene anche un pò in automatico. Quella sopra è una frase molto romantica e poetica ma allo stesso tempo molro pericolosa.

Perchè gli occhi e sono l'unica parte del linguaggio del corpo che non si può manipolare. Questo significa che le persone non possono metire con gli occhi. Di conseguenza quando sei in qualsiasi situazione fissa gli occhi e capirai cosa vuole veramente una persona.

Leggere gli occhi non è la cosa più facile del mondo e ci sono diversi modi per farlo. Inanzitutto non devi farti vdere che gli stai fissando gli occhi, atrimenti rischi di non riuscire a capire nulla e l'alra persona si potrebbe infastidire. Fallo di "nascosto" e mantieni un contatto blando e amichevole senza esaggerare.

Esiste un divertente studio del 1960 fatto da Polt e Hess dell'univerità di Chicago che fa vedere prorpio il cambiamento delle pupille. Per farlo hanno preso un gruppo di ragazze e un gruppo di ragazzi e gli hanno messo davanti immagine di prsone semi nude. Ovviamente alle ragazze hanno dato immagini di uomini e viceversa e che ci crediate o meno dopo aver visto le foto le pupille di tutti, sia maschi che femmine si erano alargate notevolmente.

Questo è sicuramnte un esperimento divertente che negli anni ha portato a diversi studi sull'argomento.

L'idea di questi due ragazzi è stata poi ripresa diverse volte nella storia. Come nel 1966 quando Kahenman (Premio nobel per la psicologia). Durante un suo esperimento ha chiesto a tutti I partecipanti di ricordare a memoria una serie di numeri da tre e da sette cifre per poi ripeterli tre secondi dopo. La cosa divertente è che alla fine dell'esperimento si è notato che in base alla lunghezza della stringa di numeri aumentava la dilatazione della pupilla.

Divertente no?!

In breve quindi le nostre pupille si dilatano non solo per eccitazione come visto prima ma anche quando il cervello deve processare informazioni.

Sono meglio gli uomini o le donne a leggere gli occhi?

L'università di Cambrige Ha svolto un esperimento siu suoi alunni molto interessate. Sono state prese un campione di 25 uomini e 25 ragazze e gli ha fatto vedere delle foto di una parte del volto di alcune persone (in tutte le foto erano presenti gli occhi) e gli è stato chiesto di dire in che umore si trovava la persona raffigurata. Il risultato è stato che sia gli uomini che le donne hanno ottime capacità di leggere gli stati d'animo solamente grazie agli occhi, MA le donne hanno fatto leggermente meglio indovinando 22 volte su 25 mentre gli uomini solamente 19 volte hanno dato la risposta corretta.

Gli scienziati ancora non sanno come il cervallo riesca ad elabborare queste informazioni. Sanno solo che riusciamo a farlo.

MA DI PRECISO DOVE GUARDIAMO?

Esiste un solo modo per instaurare un vero collegamento con una persona e questo avviena quand si è uno difronte all'altro. Secondo diversi studi si è arrivati a dei dati molto precisi sul dove guardiamo durante una conversazione. Questo naturalmente non è uguale in tutto il mondo, ad esempio in Giappone fissare una persona negli occhi è segno di irrispettosità e di aggressività e quindi per loro è normale guardare il collo della persona che sta parlando. Strano no?

Per noi sarebbe inconcepibile una cosa del genere. Noi quando una persona parla la guardiamo per il 66% del tempo. O meglio per il 44% mentre parla e il 73% quando questa persona ascolta.

La durata media di uno sguardo è di 2,94 secodi, quello dello sguardo reciproco è di 1,17 secondi questo rivela che durante una conversazione il contatto visivo varia dal 27% al 100%, Questo varia a seconda di chi parla e dall'etnia degli interlocutori.

Quidni prima di trarre le tue conclusioni calcola il contesto in cui ti trovi, Se sei in cnversazione con una persona Giapponese ad esempio non vuol dire che se non ti guarda è per qualche motivo strano strano ma semplicemente per la sua cultura è brutto farlo o al contrario ti guarda fisso perche è arrabbiato e non ti stima. Mentre da noi sarebbe esattamnete il contrario. Quindi occhio alla situazione.

IL CONTESTO FA TUTTA LA DIFFERENZA DEL MONDO

Nel capitolo che avete appena finito di gustarvi già abbiamo parlato dell'importanza del contesto con alcuni esempi, come quello degli amici che sono con le braccia conserte e questo non vuol dire sempre che siano annoiati o che non ti vogliano sentire ma molto probabilmente sono in quello stato perche sono stanchi di stare seduti o mangari hanno mangiato troppo e sono eccessivamente pieni e in questo caso voi avreste sbagliato completamente la lettura del loro corpo.

Il linguaggio del corpo non è una formula magica, tipo quella dei cartoni animati che farà di te un signore sull'ottantina con la barba bianca lunga capace di fare chissa quali fantastiche magie.

Mi dispiace ma Dumbledore nella vita di tutti I giorni non esiste. Spero di non aver turbato nessuno...

Comunque tornando a noi il linguaggio del corpo non è una

cosa che ti farà capire sicuramnte cosa pensano le persone ma ti darà dei forti indizi che insieme al contesto ti daranno la possibilita di leggere le persone.

Cosa è il contesto?

Questo è un concetto abbastanza difficile da spiegare e spero di essere il più chiaro possibie.

Il contesto è l'insieme di tutte le circostanze che formano la situazione attuale. Quindi è composto dall'ambiente che abiamo intorno, dalle parole che diciamo, dalle persone che vediamo e dalle scelte fatte pochi attimi fa, ecco questo è il contesto.

Quando analizziamo il contesto è fondamentale rendersi conto di tre cose fondamentali:

- Gli spazi : Quando stai analizzando il contesto è fondamentale capire lo spazio intorno a voi. C'è molta gente, siete slo in due e state quindi da soli. Queste differenze faranno si che l'altra persona magari si senta a disaggio in base all'argometo del quale dovete discutere.

– Devi saper le esperienze recenti vissute dalla persona che ti sta davanti: Magari quando stai parlando la persona difronte a te ha avuto una giornata tosta e dispendiosa di energie e può sembrarti annoiata da te mentre in realtà è solamente molto stanca.

– Quello di cui si parla: Durante una conversazione, suprattutto se I toni sono accesi diciamo frasi affrettate e pungenti e magari una di queste ha dato fastidio all'altro interlocutore mettendolo a disaggio.

Quindi il contesto è fondamentale da capire, ti risolverà tantissimi problemi se sarai ingrado di captare che il problema della tua conversazione sia proprio dovuto alle circostanze del momento. Cosi magari solo cambiando stanza o abbassando I toni della voce eliminerai dall'altra persona ogni segno di disaggio e il tuo dialogo andra liscio e pulito verso la fine.

Certe volte non sarà cosi semplice capire da dove arriva il problema ma se per esempio vedete che quando tirate fuori un tipo di argomento o dite una frase e la persona cambia umore beh avete fatto bingo, sapete cosa le da fastidio ma alle volta sarà doveroso chiedere direttamente alla persona cosa ha che non va.

Ovviamente questa che ti ho appena detto è l'ultima spiaggia, comunque è possibile diminuire la tensione prima di iniziare a parlare quando ad esempio vedete che la persona è già tesa o turbata.

Magari gli offrite un cocktail o le chiedete come gli è andata la gionrata, cosi la farete aprire nei vostri confronti e il linguaggi del corpo a quel punto non sarà un problema per voi.

La lettura del contesto non è affatto una pratica facile che domani farai perfettamente, ci vuole molto allenamento.

Puoi fare degli esercizi per allenare la lettura.

Quando parli con persone con cui hai una grande confidenza come possono essere I tuoi genitori o la tua ragazza concentrati solo sul contesto e non sulla discussione. Cosi in breve tempo saprai leggere perfettamente il contesto e quando ti trovi in situazioni meno facili sarai in grado di affrontarle senza alcun tipo di problema.

Ricordati sempre che lo scopo della lettura del contesto è quello di mettere a proprio agio l'altra persona e la rende più aperta con te creando anche dei bellissimi legami che senza di essa non sarebbero mai avvenuti.

Molto importante naturalmente è anche il tuo linguaggio del corpo. Se fai di tutto per capire l'altro ma il tuo linguaggio del corpo non è buono per I tuoi obbiettivi non arriverai lontano.

Anzi resterai proprio fermo dove sei ad aspettare di leggere il corpo dell'altro mentre il problema sei tu.

Pensa che situazione che si potrebbe creare. Ti consiglio di non testarla mai, almeo che tu non voglia fallire.

LA COMUNICAZIONE VERBALE

La comunicazione verbale è quella che avviene tramite lingue e suoni che trasmetton messaggi. Il poche semlici parole la possiamo riassunere come "parole"

Queste sono fondamentali per la vita di tutti I giorni ed è il sistema con cui l'essere umano comunica durante e sue giornate. Questo tipo di comunicazione viene usata tra due o più persone per parlare oltre al linguaggio del corpo.

Almeno che non si parli da soli.... Ma li vi servirebbe ben altro che questo libro per risolvere la situazione.

Nella comunicazione verbale è fondamentale anche la scrittura. Ora gia ti vedo mentre pensi "ma come?! Prima mi hai detto che sono solo le parole e ora anche la scrittura" esatto caro mio amico lettore.
La scrittura fà parte da sempre del linguaggio delle persone per tramandare dei messaggi. Da qualsiasi parte del mondo vieni la scrittura ha un suo ruolo ben definito.

Ora ad esempio stai leggendo ma nella tua testa non stanno passando le parole come se fossero scritte? Ovviamente si.

Quindi la scrittura è una parte della comunicazione ma solamente non orale. Io ti ho detto che la comunicazione sono parole non voce.

In questo capitolo esploreremo I vari elementi che definiscono la comunicazione verbale e come cambia la nostra vita di tutti I giorni.

I fondamentali sono fondamentali pt.2

Come abbiamo già visto precedentemente la comunicazione verbale è tutta una questione di parole, che queste siano o scritte o parlate non fà alcuna differenza.

Ma sappiamo anche che esiste una comunicazione non verbale, come può essere quella del linguaggio del corpo, con in quale mandiamo altrettanti messaggi che vanno dal silenzio al far vedere di essere felici.

Ora ti faccio un quadro più chiaro per farti capire meglio di cosa stiamo parlando e delle distinzioni veritiere che ci sono. Mi ringrazierai dopo.

VERBAL COMUNICATION:

ORAL:

    - Lingua parlata

    -Movimenti che fanno suoni (Ridere e piangere ad

esempio)

NON-ORAL:
  -Scrittura o lingua dei segni
  -Gesticolare o body language

Tipi di comunizazione:

Esistono due tipi di comunicazioni, sono il parlare in pubblico
e la comunicazione interpersonale. Questi due che ti ho appena
elencato sono I due tipi principali di comunicazione che tutti
usiamo durante le nostre giornate ma hanno delle belle
differenze tra loro.

La prima si riferisce nella norma ad una comunicazione che
viene fatta da te ad un numero grande di persone che ascolta,
mentre la seconda viene fatta lo stesso con un gruppo di
persone ma queste non ascoltano e basta ma è uno scambio di
opinioni.

Ti faccio due esempi cosi ti sarà tutto più chiaro.

Il primo caso potrebbe essere un discorso che il professore fa in aula mentre parla della seconda guerra mondiale, gli alunni sono li buoni (in teoria) ad ascoltare quello che gli sta spiegando la professoressa . Nel secondo caso, prendiamo sempre come esempio la scuola, una conversazione di timpo interpersonale potrebbe essere un'interrogazione dove l'insegnante e l'alunno si parlano a vicenda.

Sempre sperando che non faccia scena muta.

La comunicazione è sempre una sfida. Più con noi stessi che con gli altri. Sicuramnte abbiamo più sfide con la comunicazione verbale che con quella non. Ogni volta che ci troviamo in un discorso trovare le parole giuste è sempre complesso.

Questo succede o perchè le due persone che si trovano a parlare hanno idee completamente diverse come può accadere se due estremisti religiosi si trovano a discutere o perchè il messaggio non è stato trasmesso bene e questo fa si che la comunicazione sia rotta e non funzionale.

Un buon consiglio che posso darti è quello dei 10 secondi.

Ma penso che un pò tutti lo conosciate, ovvero dovresti fermarti 10 secondi prima di parlare, questo per rifettere bene su quello che bisognerà dire e in che modo dirlo soprattutto, senza che qualcuno si offenda.

Sicuramente ti sarà già capitato duecentomila volte che dopo una conversazione tu pensi "Ma perchè ho detto questo" o "Ma come gli ho parlato?".

Beh questo accade a tutti noi ma si può ridurre il numero di volte che questa cosa succeda grazie a questo semplice trucchetto.

Ogniuno di noi si esprime in modo diverso, e non possiamo comandare gli altri ma noi stessi assolutamente si. Per questo bisogna sapere come utilizzare tutti I tipi di linguaggio per far passare di noi il lato migliore e decidere esattamente cosa esce dalla nostra bocca senza avere cattive sorprese durante la discussione.

Un altra parte fondamentale della comunicazione sono senza alcun dubbio I simboli.

I simboli si meritano senza dubbio di essere trattati all'interno del capitolo sulla comunicazione verbale.

Ma cosa sono di preciso?

I simboli sono pensieri,oggetti,idee e emozioni. Sono tutto quello che ci serve per dare un significato alle nostre azioni. I simboli non sono mai senza significato ma hanno sempre un perchè.

I simboli sono caratterizzati da diversi caratteri è vengono definiti anche con la regola delle 3 "a" ovvero sono I seguenti:

- Ambigui
- Astratti
- Arbitrari

L'esempio più lampade che al giorno d'oggi a senzo per descrvere I simboli anbigui è sicuramente "Apple" infatti ad oggi questa parola ha preso più significati. Per capirlo meglio ti faccio un'esempio.

Quando hai letto apple hai pensatto ad una mela o alla marca di elettronica?

Proprio questo intendo dire con ambigui,Non si sa di preciso cosa stiamo indicando con quella parola. Ma dobbiamo vedere il contesto in cui è inserita per capire.

Il significato dei simboli è in continuo cambiamento e lo sarà finche l'essere umano sarà sulla terra e questo grazie ai continui cambiamenti sociali e alle nuove scoperte che renderanno il linguaggio di oggi obsoleto tra venti anni.

Basta guardare le nuove generazioni con quelle vecchie. Ad oggi I ragazzi parlano una lingua che I genitori non capiscono e hanno dei simboli differenti.

Nel secondo punto abbiamo l'astrazione. I simboli astratti servono si usano per trasmettere un concetto intricato in modo diretto e semplice.

Un esempi classico su quest'argomento è quando si parla al "pubblico", questa è un'astrazione perche noi non sappiamo quantificare le persone presenti e non sappiamo nemmeno come sono, di quale etnia ecc. Ma tutti abbiamo nella nostra mente un idea più o meno astratta di pubblico, Che va da quello al cinema alla miriade di persone che si ritrova dentro uno stadio per I play-off dei Lakers.

In poche parole un simbolo è astratto quando non possiamo definire solo tramite quello di cosa stiamo parlando nello specifico ma ci servono più informazioni.

Per ultimi ci sono I simboli arbitrari, ovvero sono tutti quei simboli che non hanno correlazione diretta con quello di cui vogliamo parlare ma che ci aiutano molto nella comunicazione del concetto che uno vuole esprimere.

LE PERSONE SI COMPORTANO
TUTTE ALLO STESSO MODO

Il comportamento umado è di una difficoltà unica, e questo fa si che saper leggere I comportamenti di una persona è molto difficile. Ma c'è un punto a nostro favore che ci aiuterà sempre nella nostra lettura, Ovvero tutti gli esseri umano reagiscono in modo similare in alcune occassioni e non lasciano spazio alle incertezze.

Il comportamento umano da sempre per gli scienziati viene diviso in ben tre componenti ben definite che sono L'azione,L'emozione e la cognizione.

Iniziamo a parlare del primo argomento ovvero l'azione. Le

azioni sono tutti quei movimenti che svolgono un comportamento che ti fanno passare da una situazione ad un'altra. Un esempio banale avviene quando vai a dormire. Tu decidi di cambiare la tua posizione e per farlo compi un'azione.

In seconda posizione troviamo le cognizioni. Queste sono descritte come immagini che ci creiamo nella nostra testa. Possono essere sia verbali che non verbali.
Quelle verbali si possono dire tutte quelle cognizioni che noi diciamo ad un'altra persona su qualsiasi argomento.

" chissa come sarà guidare quella lamborghini gialla fiammeggiante" Questa ad esempio è una cognizione verbale.

Mentre quando pensi a come sarai tra dieci anni beh quella e una cognizione non verbale perchè stai solamente immaginando nella tua testa e non stai parlando con nessuno.

Infine ma senza dubbio non meno importanti troviamo le emozioni.

Queste sono tutte quelle brevi esperienza che viviamo senza il raggionamento, anche esse si dividono in due grandi gruppi che andremo a capire e sono Positive e negative.

Noi non possiamo avere effetto sulle nostre emozioni perchè ci prendono di sorpresa e il nostro corpo non può fare a meno di comportarsi in un determinato modo.

Come quando la tua squadra del cuore è in finale e manca poco alla fine ma hai un tiro da 2 che potrebbe farti vincere la partita, senza alcun dubbio avrai il cuore che tocca il massimo dei suoi battiti. Questo non lo puoi controllare proprio perchè è un emozione.

La stessa cosa avviene con le emozioni negative che puoi provare (spero per te che non ti capiti mai) ad un funerale. Le emozioni negative che proverai li dentro non possono essere controllate dalla mente.

Che siano buone o brutte le emozioni non si possono fermare.

L'insieme di emozioni, azioni e cognizioni fa si che noi capiamo la situazione che ci circonda ed insime queste tre cose fanno si che la nostra vita sia piena. Senza di esse nulla che farai avrà senso.

Questi tre cose spesso si trovano nello stesso momento e seguono questa equazione:

Azione= Emozione + Cognizione

Mi spiego meglio. Se tu ad esempio sei seduto al bar e ti alzi per pagare ma metre cammini per andare alla cassa vedi un tuo caro amico hai appena svolto tutte e tre le fasi. Ti sei alzato e hai fatto un'azione, hai visto un tuo amico e hai provato gioia quindi hai usato la cognizione e le emozioni.

Molto spesso durante la nostra vita utilizziamo questi comportamenti ma non ci rendiamo conto. Ora che lo sai sicuramente ci farai attenzione e sarai in grado di riconoscere senza esitazione la situazione.

IL POTERE DELLE MANI

Le mani hanno un potere che noi non conosciamo minimamente e ignoriamo. Mandano un numero impressionante di messaggi che la maggior parte delle persone non sa captare.

Le mani vengono usate da sempre durante le conversazioni e durante il corso degli anni il loro significato è cambiato innumerevoli volte. Un esempio è la stretta di mano.

L'atto di stringere la mano è retaggio del passato. Quando le tribù antiche si incontravano usavano mostrare I palmi per far vedere che non nascondevano niente. L'impero romano invece usava stringere l'avanbraccio cosi entrambe le persone erano sicure che l'altro non nascondesse nulla sotto la manica. Questo si faceva perchè a quei tempi era normale girare con un coltello sotto la manica e quindi per stare sicuri facevano questa usanza.

Ma come tutte le usanze che sono passate di generazione in generzione ad oggi quella usata dai romani si è trasformata nella nostra stretta di mano.

Infatti questo gesto per noi si usa in una miriade di situazioni differenti. Che vanno dal classico saluto con amici ad una stretta di mano per sancire un accordo lavorativo tra due grandi multinazionali.

Anche nello stesso giappone dove il saluto classico è sempre stato l'inchino ad oggi la stretta di mano è molto utilizzata.

Il fatto che sia un gesto oramai cosi diffuso non significa che sia semlice da fare. Dietro la stretta di mano esiste un vero e proprio mondo di dominazione e sottomissione.

Sempre nell'antica Roma due persone si salutavano con la stretta di mano alla braccio di ferro la definisco io.

Ovvero non si usava dare la mano come la diamo noi oggi ma una persona prendeva la mano dell altro da sotto a sopra e si creava la forma di un panino per intenderci. La persona più potente dominava l'altra.

Al giorno d'oggi questa pratica non è utilizzata ma la persona vincete esiste sempre durante la stretta di mano. Esistono tre diversi tipi di finale per una stratta di mano che sono:

- Predominio
- Sottomissione

– Uguaglianza

Questi atteggiamenti vengono percepiti al livello incoscio e il nostro corpo li elabbora in maniera particolare e ogniuno di questi può decidere in che direzione andrà la conversazione.

Un esempio che posso farti e quello di uno studio fatto su alcuni manager di azienda.

Maschio o femmina non fa alcuna differenza.

Ha dimostrato che l'89% di essi usa la stretta di mano predoninante e tende sempre la mano per primo, cosi potra controllare esattamente la stretta di mano.

L'esatto opposto è la stretta di mano sottomessa. In questo caso la persona mette la mano con il palmo verso l'alto concedendo il predominio all'altra persona. Un pò come fanno I cani quando si sdraiano e mettono al cielo la pancia.

Questa stretta di mano la puoi utilizzare se vuoi far si che il tuo interlocutore si senta in possesso del controllo della situazione. Puoi utilizzare questa stretta quando vai a porre delle scuse ad esempio.

Quando invece le due persone si trovano in una posizione in cui entrambi vogliono girare la mano all'altro per dominare si crea quella che viene detta stretta a "morso" che fa si che le persone siano alla pari e nessuno dei due alla fine abbia la meglio.

Quindi se vuoi creare un rapporto paritario con la persona che hai davanti evita che lui ti giri la mano ma soprattutto utilizza la stessa quantità di forza che usa lui.

Ora usiamo dei numeri ipotetici, ma se lui applica alla stretta una forza di 9 su 10 e tu di 7 dovrai aumentare la forza o verrai dominato. La stessa cosa la dovrai fare al contrario se non vuoi dominare.

In breve se lui applica una forza di 5 e tu di 7 se non vuoi farti vedere dominante dovrai gioco forza abbassare la potenza della tua stretta.

Ora però ti svelo un trucchetto per non farti dominare mai. Nemmeno se dovessi incontrare il presidente degli stati uniti.

Anzi con questa tecnica sarai sempre e ripeto sempre tu a dominare l'altro (sempre se in quella situazione vuoi farlo).

La tecnica si chiama " disarmare I prevaricatori"

La tecnica consiste nel mettere il braccio teso con il palmo rivolto verso il basso cosi da non lasciare scampo al tuo interlocutore e dovra perforza giarare la mano e mettersi in sottomissione.

Da quel momento in avanti potrai fare quello che vuoi. Deciderai tu se dominare o stare alla pari ma sarà dificilissimo per lui portare la situazione a suo favore.

Un pò come capita nelle partite quando sei tre punti sopra e manca poco, o lui fa un miracolo e la pareggia o perde ma non può vincere.

Se invece capita a voi di trovarvi nella situazione dove una persona vi tende la mano come prima descritto esiste una cosa che potete fare per ribaltare la situazione, avanzate con il piede sinistro e fate in modo di portare la sua mano in verticale. Questa pratica non è per niente semplice perchè tendiamo ad avanzare con il destro ma con un pò di allenamento vedrai che ti verrà più che naturale.

Se proprio non riuscite a fare questo passaggio esiste un altro modo per salvarvi dalla dominazione ed è quello della doppia presa.

Quando l'altro vi porta con il palmo erso l'alto voi utilizzate l'altra mano che avete libera per far tornare la stretta in parità. Quindi in questo momento voi starete utilizzando due mani e lui una soltanto.

Stare a sinistra è un vantaggio sleale

Durante una stretta di mano è fondamentale la posizione in cui ci si trova, e stare a sinistra aiuta moltissimo se si vuole dominare.

Questo accade perchè a destra non si ha controllo sulla situazione metre a sinistra si riesce a comandare la situazione.

Questa tecnica piaceva molto a Kennedy, anche se a quei tempi non si sapeva nulla sul linguaggio del corpo lui lo faceva già per intuito.

Infatti se andate a vedere tutte le foto dove si incontra con leader e personaggi famosi lo troverete sempre sulla sinitra con la presa doppia.

Un esemio lampante di come Kennedy fosse un fenomeno con il linguaggio del corpo lo abbiamo quando vinse le elezioni contro Nixon.

Quella vota si è notato che le persone che udirono solamente i discorsi dei due politici erano convinti che avesse vinto Nixon mentre chi guardo la scesa si convise del contrario.

Questo portò Kennedy a vincere le elezioni. Abbastanza importante questo linguaggio del corpo non trovi?

Tornando al discorso di prima però se vi trovate nella destra della foto per riuscire ad avere una situazione paritaria allunga subito la mano cosi da costringerlo a stringerti la mano come volete voi.

Per concludere questo capitolo vi faccio un breve riassunto.

Pochi sanno che impressione possono fare ad uno sconosciuto anche se sono consapevoli di quanto sia importante avere un ottimo inizio di conversazione.

Dedicate un po di tempo a sperimentare le varie strette di mano con magari amici, parenti o colleghi di lavoro cosi da prendere dimestichezza e nei momenti importanti saprete come comportarvi al meglio.

DIETRO LA MAGIA DEL SORRISO

La risata da sempre viene vista come un segno di felicità.

E se ti dicessi che non è sempre cosi?

I bambini da piccoli imparano subito che la risata è qualcosa che affascina I più grandi e la usano a loro vantaggio. Come la fase del pianto, funziona allo stesso modo.

Ma esistono diversi studi che dimostrano come la risata in natura sia usata per più scopi. Guardiamo ad esempio I nostri antenati, le scimmie.

Questi animali hanno due tipi di sorriso comletamente differente l'uno dall'altro. Il primo è quello in cui l'animale si mostra inferiore e per farlo mostrano tutti I denti ma abbassano I lati della bocca. Il movimento è molto simile a quello della risata degli esseri umani per capirci.

Mentre il secondo sorriso serve per far vedere all'altro animale che lui è aggressivo e potrebbe mordere. Per fare questo la scimmia mostra anche qui completamente I denti ma divarica anche le mandibbole. Ad oggi noi questo non lo facciamo più ma anche l'essere umano utilizza la risata in diversi modi.

Hai il sorriso contaggioso?

Il sorriso è una cosa molto particolare. Infatti quando una persona ti sorride tu sei spinto a ricambiare. Il tuo corpo lo fa in automatico senza che tu te ne accorga.

Anche se si tratta di un sorriso finto.

Uno studio fatto da un università in Svezia mostra come il nostro corpo risponde al sorriso. Sono state prese 130 volontari e li hanno messi uno ad uno davanti a delle slide dove si vedevano immagini di persone che ridevano , piangevano e si arrabiavano.

La cosa divertente è stato il risultato. Perchè ad ogniuno di loro gli è stato chiesto di fare la faccia opposta a quello che vedevano.

Se vedevano un pianto dovevano ridere e cosi via. Su ogniuno di loro fù installato un macchinario che rilevava I micro segnali del loro corpo.

Si è notato che quando vedevano un immagine di una persona che piangeva non si aveva nessuna esitazione a fare la faccia sorridente. Mentre quando capitava la foto con una risata l'istinto della faccia della persona che provava l'esperimento era quella di sorridere.

Naturamente questo gesto era quasi invisibbile all'occhio umano ma grazie a quei macchinari particolari sono stati in grado di rilevare la contaggiosità del sorriso.

La cosa difficile da capire è se un sorriso sia vero o falso. La nostra mente non è ingrado di capire la differenza qundo ne riceviamo uno.

La maggior parte delle persone ha un senso di felicità quando appunto riceve un sorriso che si vero o falso. Una caratteristica dei sorrisi finti e che spesso viene fatto da un solo lato della bocca.

Se vedete qualcuno che vi sorride cosi occhio, al 99% sta fingendo.

Secondo alcuni studi però risulta che chi dice delle bugie sorride poco o comunque molto meno. Questo accade perchè Il nostro corpo sà che se ridiamo in modo finto l'altra persona si accorge di questa situazione e vi farà beccare.

Ma quando succede che un bugiardo rida il suo sorriso ha una durata molto più lunga rispetto alla media.

Gli rimane stampato come una specie di maschera. Non a caso in alcuni film il cattivo ha un sorriso sulla faccia. Un esempio classico è quello di Joker.

La scelta della maschera non è casuale. I creatori di batman sapevano molto bene questa caratteristica dei cattivi e l'hanno messa in pratica nei migliori dei modi.

Il Sorriso Guarisce

Il sorriso ha un effetto pazzesco sul nostro organismo, è in grado di produrre "antodolorofici" naturali in grado di distruggere alcune malattie del nostro corpo.

Sai chi è Norman Cousins?

No? Bene te lo dico io. Questa persona ha fato iniziare infiniti studi sull'effetto che il sorriso ha sul nstro corpo. Un giorno tramite un controllo medico gli è stata diagnosticata una malattia che da li a breve gli avrebbe fatto sentire dolori lancinanti alle ossa e sarebbe andata sempre peggio.

Qualsiasi persona si sarebbe chiusa in casa a piangere e a disperarsi. Ma per lui questo non poteva esere fatto. Andò in un negozio di dvd e compro tutti I film più divertenti che trovò sullo scaffale, tornò a casa e inizio a vedere tutti questi film e rideva più forte che poteva. Dopo alcune settimane tornò dal medico e lui rimase stupito.

Non solo la malattia era sparita ma lui non ha sentito il minimo dolore fisico.

Da li in avanti appunto sono iniziati una miriade di studi sull'accaduto e si è scoperto che il ridere per il nostro corpo ha lo stesso effetto che potrebbe avere la morfina.

Cosi già dai primi deglianni ottanta gli ospedali hanno iniziato ad aprire quelle che venivano chiamate " stanze del riso ".

In queste stanze vennero inserite riviste,film e personaggi divertenti e I pazienti venivano portati I dentro per almeno un'ora al giorno e naturalmente I risultati non hanno esitato ad arrivare.

Cosi ancora oggi questa pratica aiuta una miriade di persone in tutto il mondo.

Questo spiega tranquillamente perchè quando una persona che ride molto ha una aria migliore e si ammala molto meno rispetto ad una persone che si lamenta sempre o è triste per qualsiasi motivo.

RIDERE E PIANGERE COSA HANNO IN COMUNE?

La risata e il pianto sono strettamente collegati tra di loro sia dal punto di vista fisiologico che da quello psicologico.

Fate un'esperimento su voi stessi. Provate a ricordare l'ultima volta in cui avete riso moltissimo per una barzelletta o per qualsiasi cosa.

Avete provato quasi dei brividi giusto?

Quelle sono le endorfine che il nostro corpo rilascia senza che noi lo sappiamo dopo una vera risata. Quella sensazione e simile a quella che hanno le persone che assumono droghe di qualsiasi tipo.

Infatti chi ha problemi a ridere davanti alle cose belle della vita al 85% cade vittama di abuso di alcool o di droghe. Perchè queste sostanze fanno si di poter ridere e rilassarsi più "velocemente" secondo la loro concezione.

Poi le persone che fanno uso di queste sostanze si dividono in due grandi gruppi.

Il primo è quello delle persone che sono gia felici prima e aumentano la loro felicità con l'assunzione di endorfine.

Mentre il secondo gruppo di persone che sono infelici se esaggerano con queste sostanze invece di diventare felici rischiano di trasformarsi in persone pericolose e violente o divetano disperate.

…............................

Le persone bevono alcolici e assumono droghe nel tentativo di
sentirsi come chi è felice.

…............................

alla fine del capitolo voglio consigliarvi una cosa. Ridete nella vostra vita. Migliorerete I rapporti con le persone appena incontrate e anche con quelle che gia conoscete. Sarai facilitato sul lavoro e nello sport. Rafforzerai il sistema immunitario e saprai leggere meglio le persone dato che si apriranno di più con te.

L'umorismo è un vero toccasana!!

LE BRACCIA RACCONTANO

Durante la vita di una persona il linguaggio del corpo si modifica con il passare degli anni. Un po come succede con la nostra personalità, diventa sempre più sofisticato.

Un esempio lampante di quello che ti ho appena detto sono le braccia.

Quando siamo bambini non ci sendiamo conto del nostro linguaggio del corpo e per proteggerci ci nascondiamo dietro la prima cosa che capita quando abbiamo paura.

Ti sarà sicuramente capitato di vedere un bambino fare questo gesto. O magari hai dei ricordi di infanzia ancora nitidi di te che lo fai.

Come quando ti nascondevi sotto il letto per scappare dai

mostri per capirci.

Già all'età di sei anni questo però non succede più e invece che scappare incrociamo molto forte le braccia quando sentiamo di essere in pericolo o in una situazione che non ci piace.

Crescendo ancora di più quindi quando siamo in fase adolescenziale le nostre braccia in quelle situazioni restano più morbide ma ad esempio tendiamo ad incrociare le gambe.

Questo gesto di portare le braccia al petto lo facciamo per un motivo ben preciso, ed è un retaggio che ci portiamo dal passato.

Il motivo e che proteggiamo I nostri organi vitali se ci sentiamo minacciati. Infatti se ci fai caso quando incroci le mani le metti prorio all'altezza del cuore e dei polmoni.

E no non è un caso.

Questo gesto però in alcune situazioni è stato studiato che porta a degli svantaggi anche molto visibili.

Un esempio molto chiaro è quello di un esperimento che è stato condotto negli Stati Uniti in un univerità. Sono stati creati due gruppi differenti per assistere ad una convention.

Al primo gruppo gli è stato detto di vedere tutta la convenion senza poter in nessun modo incrociare le braccia. Quindi dovevano tenerle lungo il corpo.

Mentre a l'altro gruppo gli è stato comunicato di incrociare obbligatiamente le braccia per tutta la durata della lezione.

Alla fine di essa è stato fatto un test per vedere queale gruppo aveva assimilato meglio le informazioni acquisite.

Il risultato è stato a dir poco scioccante. Il gruppo con le braccia lungo il corpo aveva assimilato quasi il quaranta percento in più delle informazioni che gli erano state spiegate.

Mentre l'altro gruppo non solo si è trovato in difficolta nel compito ma aveva messo anche in discussione la persona che aveva tenuto la lezione.

Questo che ti ho appena detto non è stato l'unico esperimento che è stato fatto su questi argomenti ma tutti gli altri test fatti hanno portato risultati molto silimi a quello che ti ho appena descritto.

Alcune persone però ad esempi tendono a dire " si ma io sto comodo cosi" . Il problema e che qualsiase gesto risulta comodo quando ci troviamo ad avere quell'atteggiamento.

Se infatti vi trovate in una situazione scomoda e incrociate le braccia ovviamente vi sentirete comodi. Ma se lo fate a casa di amici potreste dare un messaggio sbagliato anche se non è vostra intenzione.

Ricordati sempre che tutti I messagi del corpo che hai non hanno senso solo per te ma anche per le persone che ti stanno vicine.

La lezione è molto chiara dal mio punto di vista. Le braccia non vanno mai incrociate almeno che non vogliate comunicare che siete in disaccordo o che siete estranei alla situazione.

Questa lezione vale ovviamente anche al contrario.

Mi spego meglio. Non ho la più pallida idea di chi tu sia ma so che se stai leggendo questo libro sicuramente ti interess il linguaggio del corpo. Quindi voglio darti un trucchetto per far si che tu non ti debba trovare a parlare con una persona che tiene le braccia conserte.

Allora la soluzione è una soltanto. Se per esempio durante una riunione in cui tu stai spiegando I progetti che andranno implementati da li a poco ti accorgi che un collaboratore si trova nella posizione fatidica delle braccia conserte dagli qualcosa da fare.

Si hai capito bene. Devi far si che lui non possa stare in quella situazione e per farlo portesti dargli qualcosa in mano o magari fagli scrivere qualcosa o ancora meglio digli " prego vuole dire qualcosa? Se si si alzi in piedi" Insomma fai qualsiasi cosa per fargli togliere qualla benedetta posizione.

Le tipologie di braccia incrociate

Le braccia incrociate però non rivelano sempre le stesse cose. Ma ci sono diverse situazionidifferenti che sono le seguenti:

- Braccia conserte a pugno chiuso

- La presa alle braccia

- I pollici verso l'alto

- La posizione della zip rotta

Quando una persona si trova nella prima posizione ovvero con le braccia conserte e I pugni chiusi senza dubbio di trova in un momento di forte disapprovazione e ci si può aspettare un attacco verbale e anche fisico nei peggiori dei casi da questa ersona. Quindi è meglio capire subito dove sta il problema e risolverlo.

Nel secondo caso invece la presa delle braccia è quella che si prova quando si ha poca convinzione di quello che si sta facendo.

Quando siamo in sala d'attesa dal dentista o stiamo per salire in aereo se abbiamo paura di volare. Ecco in queste sitazioni le persone utilizzano questo conportamento per sentirsi più protette.

Nel terzo caso invece troviamo la posizione con le braccia

incrociate ma con I pollici verso l'alto.

In questo caso la situazione è molto diversa. Questo tipo di posizione la prendono tutte quelle persone sicure di se stesse durante un colloquio ad esempio.
Quindi se volte apparire sicuri di voi stessi prendete questa posizione e vedrete che sembrerete da subito molto più sicuri di voi stessi.

Per ultima troviamo la posizione della zip rotta. Simpatico nome non trovi?

In questa posizione ci si mettono tutte quelle persone che sono tristi e per natura proteggoni I genitali da possibili attacchi frontali.

Questa posizione denomina scoraggiamente e molta vulnerabilità. E' spesso usata dalle persone ad esempio in fila per I sussidi o che chiedono la carità.

Come I ricchi fanno vedere le loro insicurezze

Anche I personaggi famosi si sentono sotto pressione e non a loro aggio tra la folla. Sono solo bravi a non farlo vedere.

O meglio sanno come muoversi e hanno capito come fare per non farlo notare.

Di certo non possono farsi vedere insicuri e agitati non trovi?

Se il politico di turno facesse vedere di essere sotto pressione ad un convegno nessuno lo seguirebbe e di certo non farebbe carriera.

Di solito invece di incrociare le braccia usano toccarsi I bracciali o I polsini della giacca. E' sempre una barriera di sicurezza ma molto meno visibile.

Un esempio lampante di una persona che utilizza questa tecnica è il principe Carlo.

Fateci caso. Prendete I video di quando scende dalla sua macchina con l'autista e si avvicina alla folla. Vedrete che tutte le volte si tocca I gemelli della camicia.

Eppure uno dovrebbe pensare " ma lui è abituato a vedere molta gente".

Non cambia nulla. L'essere umano tente a proteggersi quando I trova in una situazione nella quale si stente in pericolo.

Questo era solamente un esempio ma un uomo ansioso e a disagio può toccare il cinturino del suo orologio o magari sfregarsi le mani o giocare con il bottone della giacca ma di sicuro non starà fermo.

Un altro esempio può essere quello degli uomini d'affari. Essi quando si diriggono in una sala riunioni sono soliti tenere la 24 ore sul petto.

Questo comportamento denomina solamente una cosa.
ANSIA.

Non importa in che situazione o in che contesto avviene ma lo stare con le braccia conserte è preso con negatività.

Che poi il messaggio influenza entrambe le persone a colloquio. Anche se magari vi fa male semplicemente la schiena l'altro lo percepira come un gesto negativo.

Quindi allenatevi a NON incrociare le braccia. Almeno che non volete far notare una situazione che reputate sbagliata.

I GESTI QUOTIDIANI E IL LORO SIGNIFICATO

Esistono molti movimenti e gesti che noi alle volte siamo obbligati a fare ma che non vorremo mai compiere.

Ti faccio un esempio al volo cosi portai capire cosa intendo.

Sai cosa significa quando due persone si abbracciano e una da dei colpetti sulla schiena all'altro?

Nella maggio parte dei casi può sembrare una questione di affetto. Ma in realtà non è affatto cosi. Anzi ci troviamo nella situazione opposta.

Nella realtà questi colpetti hanno lo stesso significato che possiamo trovare nel pugilato, ovvero la fine dell'incontro.

Quando appunto una perona compie questo gesto significa che vuole togliersi da quella situazione nel più breve tempo possibile.

Questo è soltanto uno degli esempi che andremo ad analizzare all'interno di questo capito dove scoprirai molte cose sul comportamento umano di tutti I giorni.

Le posizioni della testa

Iniziamo subito parlando dei movimenti e delle posizione in cui mettiamo la nostra testa per mandare messaggi.

Le principali posizioni per la testa utilizzate dall'uomo sono tre

- Dritta

- Inclinata

- China

Nel primo caso ovvero quando una persona tiene la testa ben dritta verso l'interlocutore significa principalmente che sta avendo un'atteggiamento neutrale nei confronti di chi sta parlando o di cosa si sta dicendo.

La stessa posizione viene scambiata alle vlte come se la persona stesse valutando quello che sente. Il che alle volte è vero ma non è assolutamnte sempre cosi.

Se invece vi accorgete che la persona inizia ad alzare il mento e di conseguenzla testa ti sta mandando dei chiari messaggi dove ti dice che si sente superiore a te e vuole dominare la conversazione.

Mettendosi in quella posizione le persone hanno l'impressione di mettersi più in alto di tutti e cosi può dare l'impressione di guardare tutti dall'alto al basso.

Questa posizione è un pò come un segno di sfida.

Nella seconda casistica troviamo la testa inclinata. Questa posizione avviena quando una persona gira la testa o dal lato destro o da quello sinistro.

Quando vedete questa situazione significa che la persona si sta facendo sottomettere. Infatti sta mostrando il collo e la gola e ciò lo fa sembrare indifeso.

Questo atteggiamento del corpo umano deriva da quando siamo piccoli e mettevamo la nostra testolina sulla spalla dei nostri genitori. Ci mostravamo indifesi e facevamo fare a loro il lavoro di protezione.

Ma questa posizione non è utilizzata solo con aspetti negativi.

Molti studi mostrano che la donna ad esempio usa questa tecnica molto più dell'uomo per sedurre. Da sempre l'uomo si sente attratto dalla donna che sembra essere non minacciosa e che da segni di sottomissione.

Questo si nota molto anche nelle pubblicità dove spesso la dove viene fatta mettere in quella posizione.

Pensa soltanto a tutte quelle pubblicità dove le modelle provano abiti o devono sendere delle cose. La prossima volta che ti capita una di queste pubblicità sotto gli occhi facci caso.

Questo non significa che le donne sono inferiori. Anzi sono bravissime ad utilizzare questo gioco a loro favore e fanno fare agli uomini tutto quello che vogliono loro.

Di conseguenza se state tenedo una riunione o state esponendo un qualcosa fate caso a tute le persone che mettono il collo di lato. Se sono molte significa che quello che state dicendo funziona al 100%.

Infine troviamo il segno della testa chinata.

Qundo vede che una persona si trova in questa posizione dovete stare attenti. Inquanto colui che sta ascoltando si trova in una situazione molto critica e in un atteggiamento negativo.

Se la persona resta con la testa china le vostre possibilità di comunicare qualcosa con lui sono praticamente a zero.

Molte persone che lavorano nell'ambito vendita o nello spettaccolo si trovano a combattere molto spesso con atteggiamenti del genere.

Ad oggi però si sono trovate delle "soluzioni" se cosi si possono chiamare per far si di eliminare dalla persona questa posizione. Ad esempio nel mondo dello spettacolo si interagisce molto più con il pubblico sperando che stia più attento a quello che si sta dicendo.

L'essere umano utilizza la testa per lanciare molti altri avvertimenti che non noi percepiamo.

Uno di questi è il cenno con il capo.

Nella maggior parte dei paesi del mondo questo gesto sta a significare o una risposta affermativa e quindi siamo dalla stessa parte dell'interlocutore o può significare un'accenno di un inchino. Un inchino parziale per capirci meglio.

L'inchino si da quando è stato fatto per la prima volta è sempre stato un segno di sottomissione. Veniva usato in antichità appunto per venerare gli dei o gli imperatori.

Molte ricerche condotte sul linguaggio de corpo hanno mostrato che anche chi a disabilità percettive quindi ciechi,sordi e muti usano questo particolare gesto per dire di si.

E' curioso che una persona che non ha mai visto usi la testa per dire di si o di no non trovi?

Questo avviene perchè questi gesti sono dentro di noi. Il linguaggio del corpo non si crea ma lo abbiamo già detro di ni alla nascita. Certo si può controllare ma certi gesti li sappiamo e basta.

Bisogna stare sempre attenti alla nazione o al luogo dove ci si trova.

Non sempre quello che per noi significa una cosa vale anche per gli altri. In India per esempio non si usa annuire come facciamo noi ma al contrario fanno oscillare la testa.

Si hai letto proprio bene. Loro utilizzano il nostro "così e così" per dire di sì. Ci sono una miriade di questi esempi che potrei farti ma penso che un'altro soltanto possa bastare.

In Giappone per esempio non si utilizza l'annuire per dire di sì ma vuol dire "ok, ti sto ascoltando". Questo alle volte avviene anche da noi ma non sempre mentre per loro è così che si fà.

. . . .

Il cenno del capo fonda le sue origini nell'atto della sottomissione

. . . .

Ho un test per te. Sapresti riconoscere se una persone che ti annuisce in realtà vuole che tu continui a parlare o meno?

Immaginavo che la risposta fosse stata no. Non ti preoccupare queste informazioni non le conosce nessuno li fuori.

Durante una discussione, soprattutto se sei tu che parli devi sapere come prendere il linguaggio del copro altrui.

Quando tri trovi ina conversazione l'altra prsona al 86%
annuirà con il capo. Ma tu non devi pensare che sia sempre
positivo. Bensi devi guardare la velocità con cui ti annuisce.

Se appunto durante la conversazione la persona ti annuisce ma
lo fa lentamente allora vuol dire che è molto interessato a
quello che stai dicendo ma se al contrario lo fa in modo veloce
il suo unico pensiero è " ma quando finisce di parlare di queste
cose? "

Questa purtroppo è la realtà. Quindi se ti trovi in questa
situazione occhio ai dettagli.

GIOCHI DI POTERE

Ti è mai capitato di andare ad un colloquio di lavoro e dopo un'ora uscire senza avere Il posto?

Porbabilmente si. Anche perche sencondo le 1587 ricerche fatte in questo settore si è riscontrato che esiste una correlazione forte dal essere apprezzato da quella persona che ti sta in teoria dando lavoro e il prendere veramente in posto.

Va sempre a finire che tuto il papiro che hai preparato come curriculum viene mandato nel cestino e vengono chieste altre cose, lontane dalle competenze.

Ciò che il capo si ricorderà di te è solamente l'impressione che gli hai fatto.

. . . .

Nel mondo del lavoro la prima imressione equivae al

Tranquillo però qui ci sono Io a salvarti dal perdere un altro posto di lavoro o ancora meglio potresti prenderti una bella promozione con quello che trovi qui sotto.

Stai per leggere I nove comandamenti per fare una buona impressione

LE NOVE REGOLE DAL VALORE INESTIMABILE PER FARE BUONA IMPRESSIONE.

Facciamo Finta che voi da qui a breve dovrete affrontare n colloquio di lavoro. Dovete sapere che la prima impressione di voi verrà fatta dai primi quattro minuti di conversazione.

Il 65/87% del vostro impatto sarà dato da un linguaggio non verbale. Quindi occhio a come vi comportate.

Le situazioni che incontrerai sono le seguenti.

- Sala d'aspetto

- l'entrata

- l'approccio

- La stretta di mano

- Quando vi sedete

- Dove vi sedete

- La gestualità

- La distanza

- L'uscita

Questi sono I punti fondamentali che dovrai affrontare per fare un colloquio spaziale.

Ma addentriamoci subito nella spiegazione.

La sala d'aspetto: La prima cosa da fare e togliersi il cappotto e dallo magari alla receptionist o comunque elimina tutti quegli oggetti che ti potrebbero far sembrare troppo goffo.

Quindi non entrate con 289 borse. Almeno che non volte fare delle pessime figure.

Un'altra cosa cosa fondamentale e non sedersi in sala d'aspetto. La receptionist insisterà per farvi accomodare ma lo fa solamete perchè se voi siete seduti lei non si preoccupa più di voi.

Restate in piedi e aspettate con le braccia dietro al corpo.

L'entrata: Arriverà il momento in cui la receptionist vi farà entrare nell'ufficio del capo o comunque vi indicherà la porta.

Voi dovete entrare sicuri mantenendo lo stesso passo che stavate utilizzando prima. Non ralentate e non andate a piccoli passi senno farete la figura dei ragazzi impauriti.

Non è questo quello che volete giusto?

L'approccio: Qui casca l'asino. Se la persona con cui dovete parlare per qualsiasi motivo è distratta. Magari sta bevendo o gli è caduta la matita voi continuate dritti appogiate la valigietta o qualsiasi cosa avete e sedetevi.

Non perdete tempo. Altrimenti sembrate gente in cerca di un

occupazione perchè non sà cosa fare.

Il che magari è vero ma non dovete farlo vedere.

La stretta di mano: Tenete la mano bella dritta e non cedete la presa. Utilizzat la stessa forza che lui ci sta mettendo.

Mi raccomando non date la mano sopra la scrivania ma andate a sinistra. Cosi avrete la mano forte a disposizione e non vi troverete a dare il palmo verso il basso.

Quando vi sedete: Questa situazioneè molto importante e non va sottovalutata. Di solito sarete messi su una sedia più bassa rispetto a quella del boss.

Ma voi giratela di lato di 45 gradi se non si può alzare. Cosi non dovrete restare nella posizione " della preghiera".

Dove vi sedete: Se vi mettono a parlare in un posto poco formale come può essere un corridoio o magari fuori all'aperto dovete essere felici per due motivi.

Il primo e che il 99% dei no nel lavoro viene detto da dietro una scrivania. L'altro motivo e che da impiedi potete controllare tranquillamente tutto il vostro corpo.

La gestualità: Fate sempre movimenti lenti e chiari. Ricordati sempre che se vuoi farti vedere come una persona di un certo spessore non devi gesticolare o meglio se devi farlo fallo lentamente.

Questo è un retaggio che ci portiamo dietro da moltissimi anni e deriva dalla vendita di oggetti. Ti chiederai come sia possibile.

Ma è proprio cosi. In antichita I poveri utilizzavano gesticolare molto di più per vedere I propri prodotti.

Mentre I ricchi e I padroni spesso non dovevano nemmeno parlare molte volte per far fare agli altri quello che volevano.

La distanza: Ricordati sempre di mantenere le distanze adeguate tra le persone.

Se è la prima volta che incontri qualcuno tieniti almeno ad un metro da lui anche un metro e mezzo. Questo farà si che non si senta sotto pressione.

Lo capisci facilmente dal suo linguaggio del corpo se quello che stai lasciando e lo spazio giusto.

Molte persone se sono davanti ad una scrivania iniziano a battere le dita du di esse per esempio.

Stai attento anche all'età della persona con cui devi parlare. Se quasta ha la tua stessa età allora allora potrai stare più vicino ma se è una persona più grande aumenta la distanza.

L'uscita: Quando arrivate a questo momento prendete tutte le vostre cose con calma e uscite.

Ma attenti alla porta. Se quando siete entrati qualcuno l'ha chiusa allora tu farai lo stesso altrimenti lasciatela come sta.

Quando uscite state attenti a non dare impressione di essere goffi e occhio la dietro delle scarpe.

Deve essere sempre pulito. Saresti impressionato da quante persone guardano incosciamente questo particolare.

Se siete delle donne e avete parlato con un uomo questo mentre uscite vi fisserà quello che sapete.

Non lo fanno con cattiveria.

Ma voi giratevi e sorridete una volta alla porta. E' più importante che si ricordino il vostro viso piuttosto che il lato b.

SE MENTIAMO SI VEDE?

Lo so che te lo sei sempre chiesto. Molte persone durante la loro vita vengono a questo interrigativo

Si possono dire bugie senza essere visti?

La risposta è si. Ma bisogna stare molto attenti a come si parla. Il nostro corpo se diciamo una bugia per quanto possiamo far finta di nulla lascia sempre dei segnali per strada che fanno capire la verità.

Questi segnali vanno dalla sudorazione dei palmi delle mani a dei piccoli tic alle guance.

Per non farsi capire che si sta mentendo bisogna credere veramente in quello che stai dicendo. Anche se è tutto finto.

ATTENZIONE. Con questo non vi sto consigliando di mentire e cose simili.

Ti sto dicendo che è possibile farlo ma bisogna essere degli ottimi "attori".

Per capire se esiste la "Bugia per fare del bene" gli scienzianti hanno perso per degli esperimenti gli uccelli.

Infatto gli uccelli con il piumaggio scuro sono sempre I capi. Coloro che mangiano prima e corrono meno rischi.

Cosi gli studiosi hanno preso degli uccelli chiari e li hanno colorati di scuro per vedere se diventavano I capo branco.

Puoi già immaginare come sia andata a finire. Nessuno di loro ha avuto miglioramenti.

Ma sai perchè?

Perchè si hanno cambiato colore ma non hanno modificato il loro comportamento e gli altri animali ancora percepivano queste debbolezze dentro di loro e questo ha fatto si non cambiasse nulla.

Ti ho raccontato questa vicenda per farti capire che non basterà leggere una volta questo libro per capire completamente le persone.

Ci vuole allenamento per fare bene qualsiasi cosa.

Non dare tutto per scontato, Quando sei a casa invece di perdere tempo guarda come si muovono I tuoi genitori o magari vedi un film e guarda I movimenti degli attori nelle varie situazioni.

CONCLUSIONE

Leggendo questo libro avrai capito molte cose sul linguaggio del corpo e sulla manipolazione che prima non sapevi.

Tutte le persone quando sono davanti ad un intelocutore tralasciano molto spesso dettagli rivelatori.

Li vedono solo se gli vengono indicati. Siamo un po tutti come un sordo che si sente dire di prendere una cosa ma finche non gli viene indicata non sarà mai in grado di captare cosa sta succedendo.

Il linguaggio del corpo quindi il linguaggio non verbale esiste dalla notte dei tempi.

Ma la scienza ci si è concenrata solamente alla fine del ventesimo secolo.

Durante gli anni passati gli studi fatti sono stati moltissimi e molti dei quali li hai letti qui dentro.

Questa è diventata una vera e proria disciplina che ad oggi viene inserita in moltissimi percorsi di studi universitari e non.

Moltissime persone studiano la disciplina per curiosità altri per usarla a loro favore.

Un mio studente storico di nome Alex è stato in grado di prendere un premio aziendale in tre mesi da quando ha applicato quello che gli ho insegnato.

Lui è venuto da me per disperazione. Dopo diversi anni ai margini dell'azienda dove lavorava era stanco di quella situazione e non voleva più vedere gente che gli passava davanti di continuo.

Cosi ha "applicato" il tutto e ha cambiato la sua vita.

La parola applicare non l'ho scritta casualmente.

Sò già che il 50% almeno delle persone che leggera questo libro non utilizzerà nemmeno un minuto per applicare e testare I concetti spiegati.

Molti non arriveranno nemmeno a questo punto.

Peggio per loro e invece mi congratulo con te per essere almeno arrivato fino a qui.

Da ora in poi inizia il difficile.

Non fare come gli altri che poggerano questo libro sullo scaffale e tra pochi giorni si saranno dimenticati tutto e il libro stara li a prendere polvere.

Non farlo. Credi in te e che puoi farcela.

Prentiti almeno trenta minuti al giorno per organizzare I tuoi allenamenti e rileggi I concetti che vedi di esserti dimenticato.

Se devi fare un colloquio o qualcosa di importante a lavoro rileggi I capitoli fondamentali.

Ma sopratutto applicali.

Questa è veramente la parte fondamentale.

I miei insegnamenti PER IL MOMENTO FINISCONO QUI. Ti auguro un buon allenamento e aspetto il tuo feedback del successo.

DESCRIZIONE LIBRO

Vuoi conoscere il nuovo e l'unico metodo reale che ha trasformato un ragazzo scapestrato bocciato tre volte a scuola in un esperto di manipolazione e linguaggio del corpo?

Questo è il bestseller che ha spiegato al mondo intero come decifrare facilmente I segnali nascosti del corpo che solo il 7% della popolazione conosce.

Secondo gli studi delle università americane oltre il 70% della comunicazione umana è di tipo non verbale.

Ovvero il nostro corpo manda un'infinita di segnali nascosti durante le convesazioni che noi ignoriamo completamente e questo porta a dei disastri come:

X Perdita del lavoro

X Farai scappare l'amore

X Non sarai in grado di aumentare I tuoi guadagni a lavoro

X Non crerai un unione sana con le persone a te vicine

Queste sono solo alcune delle cose che ti aspettano se non sarai in grado di capire I milioni di mesaggi nascosti nelle conversazioni di tutti I giorni.

Ora hai solo tre strade da poter prendere.

Nella prima decidi che il linguaggio del corpo non ti serve e non credi a quello che hai letto prima e ti faccio I miei auguri perchè a breve ti crollera il mondo addosso come un macigno.

Nella seconda strada decidi che quest mondo ti interessa ma decidi di prendere informazioni qua e la in giro per internet pensando che sia la stessa cosa. Anche qui ti devo fare I miei auguri.

Li fuori è pieno di cavolate su questo argomento e nessuno ci capisce niente e in poco tempo saprei molte informazioni sbagliate che ti porteranno al fallimento certo.

Nell'ultima strada invece decidi di prendere questo percorso e applicarlo e da qui a 7 giorni saprai leggere perfettamente chi vuoi e manipolare I loro comportamneti.

Cosi riuscirai a eccellere in qualunque cosa.

Sarai in grado di essere felice in amore, avrai più soldi e la tua salute te ne sarà grata.

Ora sta a te la scelta.

Spero per te che farai la scelta giusta e cliccherai quel bottone con scritto BUY NOW. Ci vediamo dentro.

CPSIA information can be obtained
at www.ICGtesting.com
Printed in the USA
BVHW091445081220
595179BV00011B/1104